AF451118

LLANTOS MUDOS Y PALABRAS SORDAS

ExLibric

JONATHAN BLANCO VIEITES

LLANTOS MUDOS Y
PALABRAS SORDAS

EXLIBRIC
ANTEQUERA 2020

JONATHAN BLANCO VIEITES

LLANTOS MUDOS Y PALABRAS SORDAS

Mi interior conoce el mundo exterior

A menudo cualquier persona tiene sueños: ¿qué seré?, ¿cómo seré?, ¿dónde estaré?… Nada que no se logre con un poco de esfuerzo, constancia y confianza.

Proponte lo que quieres y consíguelo luchando, sin miedos ni oponentes. Solo avanza.

Cada persona, un mundo. Cada mundo, un universo. Conclusión: podemos llenar esto de universos. Queriendo y con esfuerzo podemos crear nuestro mundo, nuestro universo, a raíz de nuestro propio pensamiento, sueño y esfuerzo. Yo he comenzado. Adelante.

Antes de conocer lo que se esconde detrás de mi coraza, debo hacer saber que en estas hojas en blanco he plasmado reflexiones y versos sobre mi propio armario de palabras, escondido tanto tiempo y sin saber que lo tenía dentro.

Comencé a saber lo que llevaba conmigo cuando mi abuela tomó la decisión de dejar esta vida por su cuenta… Luego vino un año terrible de secuencias calcadas: el no comer, el aparentar, el ponerse la máscara de la sonrisa y hacer creer que todo está bien… Una bomba de relojería que, como cualquier artefacto explosivo, acabaría explotando. Luego el ingreso en el hospital, una experiencia que pintaba ser dura y así fue, pero todo tiene su lado bueno: comencé a abrir las puertas de ese armario lleno de palabras que se escondía en el desván de mi coraza, en una parte que nunca llegué a descubrir hasta entonces.

Por todo esto y por el aprendizaje que me dio, espero que vosotros abráis la puerta a vuestro mundo verdadero, ya que «no te conocerás hoy como lo harás mañana».

*El verdadero amor siempre es posible. Solo cree en
ello; aparecerá cuando menos lo busques.*

TU LUZ NO SE APAGA

Brilla la estrella más grande;
a tan fuerte impacto de luz
que provoca tu belleza
desmorona cualquier pieza.

Puzle hecho con tu sonrisa,
deshecho con una caricia
y el corazón que me sobresale…
Conmigo ya no seas afable.

Cordial el saludo no debe ser
cuando en la cama rozamos,
nos juntamos piel con piel,
nos tocamos, nos amamos.

Fuerte es el sentimiento
cuando un beso me das.
Un abrazo tan inmenso
me despide cuando te vas.

Inmenso el universo,
pequeños tus ojos,
enorme es el sol
y grandioso tu corazón.

Alumbra mi camino; tus ojos que me guían, tu corazón que me grita y tú que me animas.

Esa estrella que no deja de brillar ni aunque se abra el día más despejado del año, ni aunque mueran ilusiones destrozadas por la misma realidad… Esa estrella nunca dejará de lado su esencia, porque eres tú y… por los cielos más exóticos llenos de auroras boreales. ¡Qué belleza! Es esa misma la que abrió la puerta, entreabierta, de un pozo que creía sin salida.

EL POZO ABIERTO

Y de repente una luz… Una brillante y deslumbrante luz se asomó por aquel hueco diminuto, o al menos así lo creía. Tanto tiempo allí metido, en las profundidades de una tristeza desoladora, de un miedo aplastante y un llanto inolvidable, logró confundirme, confundir mi propia realidad con un pozo negro, lleno de oscuridad, la que me mantenía allí postrado, encerrado, haciéndome sentir prisionero de mí mismo, encadenado con mis pensamientos y traicionado por mis emociones.

Pero tras un largo tiempo (interminable, creía) se abrió un camino de una esquina diminuta cuya existencia ignoraba, pero que allí estaba, con una sombra dispuesta a atravesarla para rescatarme de mí mismo (o de mi otro yo, aún no lo tengo claro) y su figura emergió de tan semejante claridad cegadora. Era preciosa; no había luz alguna, sino su propia energía, su belleza más pura, su sonrisa salvadora y su mirada, que guiaba mi camino hasta su mano. La conocí; estaba presente en cada sueño que tenía, día y noche, que ya todo era lo mismo dada la imborrable oscuridad en la que vivía hasta que apareció de la nada esa muchacha con garra de luchadora, sonrisa de princesa, aliento de guerrera, tacto de seda y voz de dulce y fuerte mujer. Sí, la que llegó para salvarme de tan dura pesadilla.

Así creí que el amor dejaba de ser algo imposible y hoy puedo afirmar lo contrario: el amor es posible, seguro y bello. El dinero, solo interés; las posesiones, solo orgullo. Pero el amor es felicidad, orgullo, satisfacción y sonrisa motivada por su presencia, a la que dedico estos versos:

Tu eterna esencia, bella y pura;
una inexistente presencia me cura
y yo, que creo en tu ausencia, dañina y dura.

Tras tener abierto dicho pozo, conducía desenfrenado hacia esa pregunta que tanto me había atormentado y que me lleva al siguiente apartado de este pequeño mundo: **realmente… ¿quién soy yo?**

Nada veo donde quisiera encontrarme, donde anhelo preguntarme…

REFLEJO TRANSPARENTE

Me miro en el espejo,
pero ya nada veo,
ni mi rostro apagado
ni mi deforme cuerpo.

Mi mente me traiciona,
me pone en duda.
¿Quién soy yo?
Soy quien me decepciona.

Como dos diferentes
en un mismo cuerpo,
un alma y un pensamiento,
un barco sin puerto.

Desamparado camino
por el desierto de la duda,
por el oasis me encuentro
y ahí está la laguna.

Soy yo…
Soy y…
Soy…
¿Qué soy?

Entonces, después de ver ese reflejo inexistente, supe por dónde seguir, hacerme la pregunta que tanto deseaba responder y que me había llevado a la locura:

¿QUIÉN SOY YO?

¿Y quién soy yo
para vestir de luto
esas frías tinieblas
que me atan y encierran?

¿Y quién soy yo,
¡oh, dichosa esta duda!,
para encerrar mi alma
en esa vida tan oscura?

No sé quién soy yo
para poder encerrarme,
ni para gritar mi nombre,
ni para poder levantarme.

Pero sé lo que quiero
y por algo sigo luchando.
Sé lo que yo deseo
y por eso sigo soñando.

Solo versos plasmados. Creí haber encontrado en ellos la respuesta. Solo me encontré con saber que nunca existirá eso que buscaba…, pero sí saber lo que quiero.

Ya no vale perseguir el quién eres, sino el dónde eres.

En lo igual encuentras lo diferente; esa es tu razón y ahí estás tú.

Pero una respuesta simple se esconde detrás del no saber ubicarme para contestar dicha pregunta, así que llegué a cierta conclusión en un texto apuesto, pero no en verso:

Al fin llegó ese momento en el cual me pregunté quién soy, pregunta a la cual hoy en día no sé responder. O quizá me haga una idea y no me dé cuenta de lo que llevo almacenado en mi interior, pues sé lo que quiero, lo que persigo, lo que tengo…

¿Y cuál es la duda que me persigue a mí? Se trata del miedo que toda alma posee en las profundidades de su interior, ese que te dice y te susurra que todo lo vas a perder, sobre todo eso que más vale para ti, eso que no quieres perder… Tranquilo, avanza, no te frenes ante esos susurros que se lleva el viento. Siguen rondando en tu cabeza porque les das vida tú mismo, pero el viento, sigiloso y silencioso, se llevó las palabras que un día tanto daño te hicieron. No temas, corre, sigue tu sueño o se te escapará y luego los susurros serán pesadillas noche tras noche y estas serán realidad día tras día.

¿Quién soy? Soy YO, un yo en mayúsculas acorde a la altura de mi propio interior, que se alza en nombre de todas esas dudas que siembran el miedo en mi cuerpo y que poco a poco estoy venciendo.

Al final de cada camino existe una salida, un sueño.

Tanto preguntarme quién soy y no frené mi subconsciente, que me llevaba cuesta abajo y sin frenos o, mejor dicho, sin fuerza. ¿O era mi fuerza lo que me llevaba a una velocidad de vértigo hacia no sé dónde?

¿ES FUERZA O NO ES FUERZA?

Creía no poder seguir. Me creí derrotado, sin aliento posible que me salvara de aquello, sin fuerzas.

LEJANA VICTORIA

Sin fuerzas me hallo
en campo de batalla
donde, lejana, la victoria
deja mi alma desmayada.

Un último aliento quizá…
Una última mirada sin más.
Sé que llegó mi final,
pero no me iré sin ganar.

Dureza es lo que encuentro
en el camino por el que vuelvo.
Mi ansiada casa me espera,
me pierdo como la esperanza.

Camino sin rumbo,
ni dirección llevo
por donde me dirijo
hasta que caiga mi cuerpo.

Veo cómo pierdo el sentido,
pierdo mi propio norte
sin saber dónde está el sur.
Este y oeste me mantienen vivo.

Ni la luz del sol contemplo,
ni la de la luna me ayuda
en la noche, que se ve oscura
como mis días, siendo ejemplo.

Un camino imaginario, ya que para seguir uno nuevo… sin fuerzas me encuentro.

Ver lejos la victoria en un campo de batalla donde me encontraba sin fuerza me llevó a pensar si valía tanto la fuerza o, realmente, sería la palabra la que me sacaría de allí.

PALABRA O FUERZA

Cierto es, pues, que no todos los cortocircuitos hacen referencia al campo que estás pensando cuando nombro ese término. Quiero decir con esto que el ser humano a lo largo de su historia ha sufrido ciertos fallos técnicos causados a raíz de tormentas eléctricas, que son bombas nucleares en nuestras mentes.

Dichas explosiones son producidas como nebulosas del universo exterior a nuestro propio mundo, ya que cada uno es libre de crear su propia atmósfera, que rodea nuestro singular e individual mundo de estrellas, a veces con cielos tormentosos.

En mi propio interior se debate la duda entre si hoy en día los planetas creados a raíz de nuestra imaginación (producto de pequeños meteoritos provenientes de nuestro universo individual) son cielos llenos de grises nubes, cielos tempestuosos, o si en realidad son cielos claros, llenos de luz y de estrellas en sus noches iluminadas por la belleza de la luna, que guía nuestro camino en la oscuridad.

La violencia como respuesta plantará la semilla de tus errores.

Y será fuerza o tal vez no, pero no será ella la que me haga sentir lejos o cerca, sino que será esa palabra, ese «yo» interior, que es el que toma el volante de mi vida para dirigirlo lejos. O tal vez cerca.

Lejos pero cerca.

Ahí veo tu mano empujando mi alma perdida en medio de la noche, sueño hecho realidad.

LA FRAGILIDAD ME LLENA DE FUERZA

Ese frágil cristal
que nos distancia
y me crea angustia letal,
un dolor que ya se apagará.

Acércate, ¡oh, dulce sueño!
Acércate hoy en mi noche,
acariciando mi pálido rostro.
Ven y sácame de este pozo.

Un pozo con salida,
una puerta entreabierta,
tú con tu fuerte mano
me empujas y no en vano.

Bella mujer de mis ojos,
que a través de este cristal
me duele no poderte tocar
y me angustia el alma no poderte besar.

Versos escalonados,
estrofas hechas al desigual
demuestran el desorden mental
que me provoca verte y no poderte abrazar.

Y el verso llevó a la prosa y la fragilidad, a un pequeño rayo
de luz, un pequeño empuje de fuerza:

Una foto tuya y mi deseo

En esos días apagados (o bien llenos de luz, ya no me aclaro…),
esa instantánea de la que recibo tal notificación, haciéndome ver
que es una foto debajo de tu nombre, con el cual me refiero a ti a
través de una pantalla que nos separa. Dicha fotografía me provoca
la más sincera sonrisa, como si la oscuridad quedara apartada por
un momento. Luego, ese recuerdo del último día en el cual estu-
vimos piel con piel, tus labios pronunciando dulces palabras que
apagaban la llama de mis días quemados: dos días, tres…, incluso
una semana. Luego te recojo, te veo, me sonríes y todo se marcha.

Se apaga esa luz dañina, la del fuego que hiere mi alma perdida, aunque nada falta para encaminar de nuevo todos y cada uno
de los caminos que seguir: es ahí cuando apareces, abres la puerta
y te diriges caminando a sentarte a mi lado. Nos vamos, nos fui-
mos, para perdernos el uno en el otro en los caminos de nuestros
cuerpos; en tus curvas, en las que deseo accidentarme semana tras
semana, pues siempre suelo salir ileso de dichos accidentes, que
me dan la vida luego de haber sufrido sin tenerte a mi lado uno,
dos, tres días…, incluso una semana.

Pero en esos días tristes por no tenerte recuerdo todas esas
sensaciones con esas fotografías en las que sale la más hermosa de
las niñas, en las que veo tu sonrisa, tus ojos que tanto me iluminan

y tu rostro, que hasta a través de la pantalla me provocan la sonrisa del día. Esa instantánea que no dejo de mirar cuando paso por mi galería, llena de belleza en cuanto hago que mi piel toque la pantalla sobre el cuadrado que guarda tu fotografía.

Eres la estrella fugaz de mi noche llena de estrellas singulares, que nunca darán a mi vida el brillo que tú, como estrella fugaz, me ofreces en momentos de diminutos segundos.

Tanto si es lejos como si es cerca, algo recorre mi mente sin cesar ni un solo segundo veinticuatro horas al día, siete días a la semana, cuatro semanas al mes, doce meses al año y… ¿por cuántos años más?

Esto, sin duda, nos lo preguntamos cualquiera de nosotros, pero no ponemos solución. No solución a faltar, sino dejar algo por si falto, **por si algún día ya no estoy presente.**

Mi alma, esperando, ansía encontrarte en la noche, pensando en cada estrella como si fuera tu presencia. Porque a falta de tu presencia cobra sentido mi ausencia.

POR SI FALTO

Por si pronto muero,
en herencia la verdad
de este gran te quiero
y que lo sepa el mundo entero.

Si algún día falto
no te sientas triste,
ni sola en compañía,
porque estaré a tu lado.

La niebla espesa de la noche
es mi alma esparcida
por un mundo oscuro
y así es como te busco.

Sin miedo ni paciencia
ansío tu presencia,
porque me mata lo contrario,
me daña tu ausencia.

Ven, ¡amor mío!,
a donde me dirijo
sin sentido ni dirección,
a contracorriente del río.

Un río sin agua
que persigue mi locura,
la que me lleva a ti,
a buscarte a ti, ¡mi cura!

Verso tras verso, sigo sin tener claro si el «faltar» se puede corregir luchando o si puede llegar a pasar por ese miedo que ahoga nuestro ser.

MI LUCHA VERSUS MI MIEDO

En la peor de las luchas
me hallo malherido.
Ya no sé ni sonreír,
pero… todo doy en el *ring*.

Esta roca dura de batir
no me hará caer.
No me dejaré vencer
porque el camino quiero seguir.

Unos versos sin medida,
quizá sin sentido alguno,
pero escribo contra ti.
¡Miedo asustado, es tu fin!

Consigo levantarme, agotado
de luchar sin nadie a mi lado,
pues mi lucha contra ti
¡ya se ha terminado!

En el campo de batalla has caído, miedo, y espero no tenerte de nuevo, porque dura y complicada se hizo la batalla cuando más creí tenerla ganada. Levantarse de nuevo cuando no creía tener fuerzas fue la decisión más difícil que he tomado, aunque también la más acertada. Y no sé cómo ni sé por qué, pero lo hice y vencí.

Tras el intercambio de versos y prosa, me di cuenta de que todo tenía una explicación: todo se debía al día en que mi abuela decidió tomarse la libertad de dejarnos, pensando que sería lo mejor para nosotros.

EL DÍA MÁS OSCURO

Esa noche no lograba dormir. Cerrar mis ojos cansados era volver a recordar a través de esa pesadilla que, noche tras noche, me perseguía. Veía su sombra; apenas lograba diferenciar su rostro, pero era ese oscuro reflejo que se hallaba sin vida, mi última imagen antes de la despedida, pues luego ya se me iba.

Con ella mi vida y mi aliento se llevaba. No tenía sentido seguir el camino, no conseguí ver la puerta que asomaba delante y decidí caer en un suelo que parecía no tener fin, cada vez más hondo, más profundo y oscuro. Cada vez me alejaba más de la superficie… y todo producto de mi mente, tormenta sin descanso que ver la realidad me impedía, pues siempre estuve acostado, temblando y asustado en la superficie, a un paso de la puerta de salida.

Me hundía cada vez más y nada era la solución hasta que por fin… todo estalló. Tragedia para muchos era mi solución, lo que creía salida como puerta errónea que no cruzaría, pues nunca es tarde para pedir ayuda a una mano desconocida, pero al alcance de cualquiera.

Llorar puso punto y final a mi constante hundimiento, como si de naufragar se tratara, pero sin esa isla desierta. El río de lágrimas que recorría el valle seco y apagado, el cual era una leve representación de mi cuerpo sin alma, hizo brotar de nuevo el verde de la esperanza y comencé a frenar esa caída que ni existía. Irónico es, pero la verdad es que no lo veía hasta que por fin llegué a estar arriba en mi pesadilla y logré ver que esa puerta siempre estuvo delante de mí.

Crucé la salida. Caminé, aunque no olvidé, pero solo recuerdo a modo de aprendizaje. Las caídas crean heridas; la mía es interna y fría, fue dolorosa y es aprender hoy en día.

Y de pronto el camino imposible abría sus puertas para regalarme una nueva oportunidad nacida de su mano.

¡Oh!, luz cegadora,
guía de mi camino
que, recién aparecido,
me trae tu cariño.

¡Oh!, luz esperanzadora
que llena esta vida mía
de migas de alegría
y tú, de tus caricias.

Gracias a tu respirar,
a tu caminar y besar,
a tus caricias y palabras,
que mudas llegan a mis oídos.

Gracias a tu abrazar,
que de tanta fuerza
me va a llenar
para seguir el caminar.

Y tanto me ayudaste a caminar que, juntos, míranos dónde
hemos desembarcado.

Contra las inmensidades
de un vacío lleno de llantos
hemos remado de la mano
y aquí hemos llegado.

Donde la mano te pedí,
donde mi corazón te cedí,
donde mi vida es tuya
y contigo es más segura.

Donde sueños a lo grande
se abren, solos, paso
a un mundo renacido
de tus manos reconstruido.

Donde besos sin fin
llenan miles de historias
y abrazos sin nada a cambio
recuerdan que estoy loco por ti.

Miles de historias y ya no sabes en qué creer. Te pierdes en las tinieblas que cubren las crueles verdades… y las no tan crueles.

Esa frágil mentira
que hasta yo creía,
una dura realidad
que me enseñó a caminar.

Y no saber de verdad
lo que te hace abandonar
para poder ir a luchar
y, por una vez, ganar.

Luego apareció tu mano
de una inmensa niebla
para darme esa fuerza
y rehacer ese invisible lazo.

¡Oh! Y ese te amo
por mi vida te juro
que me ha salvado…
Eso… y tus labios.

¡Oh! Por fin tu mano
por siempre a mi lado
y esos besos tuyos
que tanto he anhelado.

Y tantas vueltas que da la vida y que yo le he dado a mi cabeza, por un tiempo perdida, que tanto pensamiento acumulado se ha hecho un volcán en pleno estado de erupción. Por fuera, la máscara al despertar, la sonrisa que siempre quería mostrar; por dentro, mi mundo se estaba derrumbando como esa avalancha en la nieve que te pierde como a esa palabra en medio de un papel en blanco intentando encontrar su propio sentido, pues no es lo mismo el significado de tu alma en soledad que todo lo que significas acompañado por esa persona que siempre soñaste y a la que nunca le pusiste un rostro reconocible hasta que llega a la oscuridad del mundo en el que te encierras y te muestra esa luz que siempre quisiste ver y que, por fin, puedes apagar y encender sin miedo a recaer.

Mi libertad encarcelada conduce mis pensamientos a la locura para buscar en ese baúl lleno de recuerdos aquello que desembocaba en el mar de la tranquilidad, que me llevó a conocer el amor como vía de escape de unas rejas invisibles creadas por mi propio ser abatido.

42

AMOR, EL SEGURO DE VIDA

Amor y un aguacero
de besos y más gestos,
de decirme en silencio
que no debo tener miedo.

Esa tormenta que ya no temo
con tu amor por consejero,
tus abrazos por escudo
y nosotros como mundo.

El cielo comienza a abrir
la puerta de mi ser
para poder sonreír
y poderme conocer.

Versos al aire libre
que el viento conduce
por curvas peligrosas
a un camino de rosas.

Esa velocidad de vértigo
que me lleva a no sé dónde.
Tampoco sé cuando,
pero siempre a tu lado.

Me sumerjo de nuevo en mi interior conociendo un nuevo yo, sin dejar el pasado de lado porque es lo que como persona me ha formado, y decido limpiar esa mancha que tanto daño me ha causado, pero siempre estará en mi mente en blanco cuando ni en eso estoy pensando.

LA RECETA DEL DOLOR VERSUS LA RECETA DEL SONREÍR

200 decilitros de lágrimas.	A 0,5 centímetros de tu boca.
150 decibelios de llantos.	1.000 kilogramos de amor diario.
Dos raciones de amargas situaciones y un segundo para pensar.	Dos besos eternos por cada segundo y un día tras otro para pensar en ti.

Si dejamos de lado lo malo, no aprenderemos todo lo que la vida nos ha enseñado, porque siempre todo pasa por algo. Realizar una contraposición entre el dolor y la felicidad, lo que nos hizo tanto daño y lo que nos hace sonreír… Ese es el camino que seguir. No temas a aprender para vivir ni a vivir para seguir aprendiendo.

(Amor÷dolor)×(sonrisa÷llanto)
=seguir valorando elevado al aprendizaje

Dicha ecuación es la esencia de poder seguir luchando día a día, la motivación para levantarse cada día con nuevos objetivos y metas que conseguir.

Muchos objetivos a la vez = saturación del propio ser.
Un nuevo objetivo diario = mucho por lo que seguir luchando.

Sigue siempre tu camino. Nos vemos juntos en esa lucha sumergida bajo un sinfín de dolores, de los cuales solo un pequeño instante te salvará y te llevará sin darte cuenta a una nueva superficie.

Por último, me gustaría plasmar una pequeña historia:

La historia de Jota

Jota es un chico joven al que una dura piedra le batió de frente y lo hirió de gravedad, pero no fue una herida física ni una piedra real. Todo fue sentimental; el campo emocional de este chico se derrumbó.

El motivo de ello fue que un día su abuela, su segunda madre, dejó de ser la fuerte presencia que era para él y se convirtió en una ausencia dura, difícil y dañina, pero camuflada por esa máscara que representaba una sonrisa, guardada en el armario invisible donde tantas sonrisas falsas almacenaba, una para cada día.

Así día tras día durante un año, hasta que la bomba emocional estalló en un cuadro grave de ansiedad. Solo necesitaba llorar, pero nunca fue de abrirse a los demás.

Empezó una difícil rehabilitación sentimental y emocional. La recuperación costó mucho trabajo y sacrificio, pero salió adelante, aunque su etapa adolescente se vio rota en mil pedazos hasta que, con sus propias manos, decidió reconstruir todos y cada uno de los enlaces de esa pieza llamada «vida».

Sus máscaras las quemó en su mente, se deshizo del armario en el que estaban y comenzó a plasmar todo su mundo interior en papel, en hojas en blanco sin nada escrito ni nada escondido.

Su vida empezaba de cero, aunque la sigue viviendo a cien. Y es que vida solo hay una; días no sabemos cuántos. Por eso vive la vida como si cada día fuera el último y lo hace dividiendo las horas del día:

Ocho horas para reflexionar y pensar en el pasado.
Ocho horas para vivir el presente.
Ocho horas para construir el futuro.

48

Ahora es tu momento, pero antes cierra los ojos y marca tu objetivo. Imagínate consiguiéndolo.

Ahora abre los ojos… y la puerta, coge aire como si no hubiera un mañana y suéltalo lentamente y seguro de ti mismo mientras visualizas tu meta.

Ha llegado la hora. Sal a comerte el mundo, avanza decidido esquivando los obstáculos que te pone la vida misma y cuando cruces la meta… echa la mirada atrás y recuerda por un momento todo lo que has tenido que pasar, pero no retrocedas ni un paso: ve a por la siguiente meta.

Sobre el autor

Nacido en Galicia hace veinte años, Jonathan Blanco Vieites reside en una aldea llamada Pesadoira. Esta es su primera obra, aunque no su único escrito, ya que a raíz del trágico suceso protagonizado por su abuela, que tomó la decisión de dejar esta vida, comenzó a guardarse todo para él, hasta que descubrió que un papel en blanco podía ser su mejor amigo y aliado. Y así fue como creó esta breve pero profunda obra.